FULLMETAL ALCHEMIST

HIROMU ARAKAWA

ALPHONSE ELRIC

EDWARD ELRIC

ALEX LOUIS ARMSTRONG

ROY MUSTANG

LOS HERMANOS ELRIC, *Edward y Alphonse,* intentaron resucitar a su madre mediante la alquimia cuando eran unos niños.

Sin embargo, la transmutación falló y Edward perdió la pierna izquierda y a Alphonse, su hermano pequeño.

Tras muchos esfuerzos, logró transmutar y retener el alma de su hermano en el interior de una armadura, a cambio de perder su brazo derecho: un precio demasiado alto.

Entonces, los dos hermanos prometieron recuperar toda

FULLMETAL ALCHEMIST

PERSONAJES
FULLMETAL ALCHEMIST

WINRY ROCKBELL

EL HOMBRE DE LA CICATRIZ (SCAR)

GLUTTONY

LUST

MAES HUGHES

ENVY

ÍNDICE

Capítulo 13 :
UN CUERPO DE ACERO

≥BUF≤

NO VALE LA PENA HACERSE DAÑO.

DÉJALO, NO ME GUSTA PELEAR.

CARAMBA... EL CANIJO SE PONE GALLITO.

PLA AS

¡¡DEJA DE LLAMARME CANIJO!!

¡¡Y LA ACABÁIS DE ENCONTRAR!!

¡¡NO-SO-TROS BUS-CÁIS PE-LEA!!

¡¿QUÉ PASA?!

NO ME PUE-DES FALLAR AHORA...

¿EH?

ÑIG

¡¡N'VAA!!

PARECE QUE SE HA ESTRO-PEADO EL IMPLANTE.

UN GH

SHUNK

¿POR QUÉ YA NO TE MUEVES CON LA MISMA AGILIDAD?

¡A VER! ¿QUÉ TE PASA?

...

¡MIRA QUE PONERTE A TEMBLAR A ESTAS ALTURAS!

¡PUEDE QUE TU ALMA SEA ARTIFICIAL, PERO DESDE LUEGO NO ES NINGUNA MARAVILLA!

¡JE, JE, JE, JE, JE, JE...!

¡NO TE MUE-VAS!

¿EH?

THONK

NO HAGAS TONTERÍAS Y DEJA QUE SE ACERQUE EL DE LA ARMADURA GRANDE.

LA PRÓXIMA TE IRÁ A LA CABEZA.

CRAC

CRAC

CRAC

PARECE QUE SE HA COMPLICADO EL ASUNTO...

CRAC CRAC CRAC CRAC CRAC CRAC

CRAC

¿QUÉ ES ESE RUIDO?

¿EH?

¡SARGENTO! ¡EVACÚEN LA ZONA!

BOUM

¿¡UNA EXPLOSIÓN?!

!!

PLOF PLOF

¿QUÉ ESTÁS HACIENDO? ¡VÁMONOS!

¡¡ALTO!!

SHIM

¿Y MI HERMANO?

PLOF PLOF

¡¡NO DIGAS TONTERÍAS!! ¡¡ESTO SE VIENE ABAJO!!

PLOF PLOF PLOF

MI HERMANO SIGUE AHÍ DENTRO. ¡SUÉLTAME!

¿¡ADÓNDE TE CREES QUE VAS?!

23

¡¿MI HER-MA-NO?!

OS HE TRAÍDO UN RE-GALI-TO.

¿CÓMO VA ESO?

PLINK

DEBERÍAIS PROCURAR QUE NO SE META EN LÍOS.

ES UNA PERSONA MUY VALIOSA.

SU VIDA NO CORRE PELIGRO, AUNQUE HA PERDIDO ALGO DE SANGRE. LLEVADLO A UN HOSPITAL LO ANTES POSIBLE.

¡ÉCHEME UNA MANO, MI SARGENTO!

BRRRRMMMMRRM

¡ALFÉREZ ROSS! ¿QUÉ ESTÁ HACIENDO? ¡DEPRISA!

SI NOS MARCHAMOS DEL CENTRO DE INVESTIGACIÓN V, NO VAMOS A SERVIR PARA NADA...

CRASH CRASH CRASH CRASH

MALDITA SEA... HAN HECHO LO QUE LES HA DADO LA GANA.

BOUM

ME PREGUNTO SI SEGUIRÁ CON VIDA EL NÚMERO 48...

NO VALE LA PENA VOLVER CON ELLOS PARA QUE NOS IMPONGAN UN CASTIGO.

HMMM

AL MENOS DISFRUTARÉ DEL AIRE LIBRE EL TIEMPO QUE ME QUEDA.

BRRRRMMMM

¡¡CALLAOS DE UNA VEZ, IMBÉCILES!!

¡SACADME DE AQUÍ, GUARDAS APESTOSOS!

¡SACADME DE AQUÍ!

¡CERRAD EL PICO!

¡NO, ES UNA EXPLOSIÓN!

¡TERREMOTO!

BRRMM

29

UN SONIDO DELICIOSO, ¿VERDAD, CARCELERO?

BRRMM

¿ES UN TERREMOTO? NO SUELE HABER POR AQUÍ...

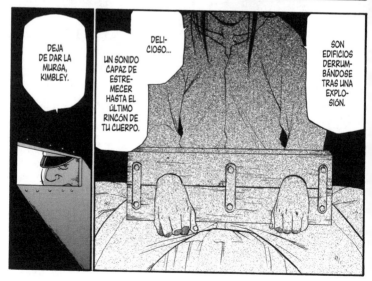

DEJA DE DAR LA MURGA, KIMBLEY.

DELICIOSO...

UN SONIDO CAPAZ DE ESTREMECER HASTA EL ÚLTIMO RINCÓN DE TU CUERPO.

SON EDIFICIOS DERRUMBÁNDOSE TRAS UNA EXPLOSIÓN.

29

ME HABÍA ANI-
MADO UN POCO
AL RECORDAR
LOS CAMPOS DE
EXTERMINIO
DE ISHVAL.

PERDONA.

BRRMM

AUNQUE NO
DEJA DE SER
UN SONIDO
DELICIOSO.

¡BAH! ESE
MALNACIDO
LLEVA RATO
ALEGRÁNDOSE
CON EL RUIDO
DE LAS EXPLO-
SIONES.

CARAMBA,
SÍ QUE ESTÁ
ANIMADO
COMO PARA
PONERSE
A CANTU-
RREAR.

¿NO ME
DIGAS?

AL PARECER
EL CENTRO DE
INVESTIGACIONES
SE HA VENIDO
ABAJO, PERO
NO NOS HA
AFECTADO A
NOSOTROS.

AQUÍ PUE-DE RECU-PERARSE EN PAZ Y TRANQUI-LIDAD.

PENSAMOS QUE NO HABRÍA SIDO BUENA IDEA IN-GRESARLO EN UN HOSPITAL MILITAR, PUESTO QUE NOS HABRÍAN HECHO DEMASIADAS PREGUNTAS...

ES EL HOSPITAL DE UN CONOCIDO DE LA ALFÉREZ ROSS.

AHORA NO PUEDO QUEDARME INGRESADO.

HE ESTADO A PUNTO DE CONOCER TODA LA VERDAD.

MAL-DITA... SEA... CÓMO DUELE.

¡¡LE PE-DIMOS DISCUL-PAS POR ANTICI-PADO!!

¡¡SE-ÑOR ALQUI-MISTA DE ACE-RO!!

TROMP

¿EH?

EL COMANDANTE ARMSTRONG OS ADVIRTIÓ QUE NO ACTUARAIS POR VUESTRA CUENTA, PERO HABÉIS HECHO CASO OMISO.

¡OS DIJO QUE OS QUEDARAIS EN LA PENSIÓN, PUES VUESTRA VIDA CORRE UN GRAN PELIGRO!

¡Y NO SÓLO LE HABÉIS DESOBEDECIDO, SINO QUE ENCIMA CASI MORÍS!

AAAH...!

BLINK BLINK

DEBÉIS DEJAR DE ACTUAR A VUESTRO AIRE Y HACER CASO A AQUÉLLOS QUE OS RODEAN.

AAAAAY...

ESO, ESO.

¡TENÉIS QUE EMPEZAR POR RECONOCER QUE SÓLO SOIS UNOS NIÑOS!

¡ESO ES TODO!

¿TANTO OS CUESTA CONFIAR UN POCO EN LOS ADULTOS?

CLAC

NOS PUEDEN ECHAR CON UN SOLO COMENTARIO DE SU PARTE.

AUNQUE LOS ALQUIMISTAS NACIONALES NO ENTRAN DENTRO DEL ESCALAFÓN MILITAR, SÍ QUE SE LES OTORGA UN RANGO SUPERIOR AL DE COMANDANTE.

¿POR QUÉ OS PREOCUPA TANTO?

Y TAMPOCO HACE FALTA QUE GUARDÉIS LAS FORMALIDADES...

MENOS CON UN NIÑO.

NO ME ESFORCÉ EN CONSEGUIR EL TÍTULO DE ALQUIMISTA NACIONAL PARA TENER UN PUESTO EN EL EJÉRCITO.

NO OS PONGÁIS ASÍ.

POR CIERTO, ¿DÓNDE ESTÁ AL?

¡SÍ QUE OS HA COSTADO POCO!

¡MENOS MAL! ¡¡EN EL FONDO, ERA UN ENGORRO HABLARLE ASÍ A ALGUIEN MÁS PEQUEÑO QUE YO!!

¿DE VERDAD QUE NO?

¡LE HE METIDO UN BUEN GUANTAZO Y LE HE SOLTADO EL MISMO DISCURSITO QUE A TI!

¡JA,JA!

ES DURO DE PELAR, ¿EH?

ASÍ SE ME HA QUEDADO LA MANO.

AAAH...

LIY...

¡JA, JA, JA!

RIIIING

?

TODAVÍA QUEDA UN PEQUEÑO ASUNTO QUE ME VA A HACER GRITAR DE LO LINDO...

VALE, TALLER DE PRÓTESIS ROCKBELL, ¿QUÉ DESEA?

QUÉ MODALES...

¿DIGAMELÓN?

¿WINRY? SOY YO.

MIRA, VERÁS... NO SÉ CÓMO DECÍRTELO, PERO... ¿PODRÍAS VENIR A HACERME UNA REVISIÓN?

¿ED? QUÉ RARO QUE LLAMES.

¿PUEDES ACERCARTE A CENTRAL?

SÍ, ES QUE SE ME HA ROTO EL BRAZO DERECHO Y POR UN ASUNTILLO NO PUEDO IR A VERTE.

¿QUE VAYA YO?

¿EN QUÉ PARTE DE CENTRAL ESTÁS?

NO TIENES REMEDIO.

?

FIVUUM

¿EH?

¿SEÑO-RITA... WINRY?

¿ESTÁS AHÍ?

¡¡PERO SI SIEMPRE SOY SIM-PÁTICA!!

ADVER-TENCIA.

QUÉ RARO, SI QUE ESTÁS SIMPÁTICA HOY...

TE DIGO QUE YA VOY YO A DONDE ESTÉS PARA HACERTE UNA RE-VISIÓN.

¿ADÓNDE TENGO QUE IR?

Y PER-DONA LAS MOLES-TIAS.

OYE...

VALE, LUEGO TE LLA-MO PARA CONCRE-TÁRTELO.

41

42

43

¿QUÉ PASARÍA SI TU HERMANO HUBIERA CREADO TU PERSONALIDAD Y TUS RECUERDOS DE FORMA ARTIFICIAL?

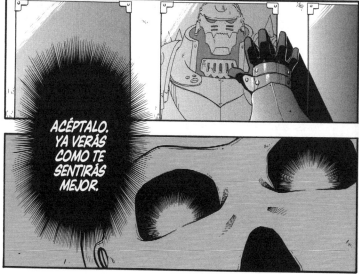

ACÉPTALO. YA VERÁS COMO TE SENTIRÁS MEJOR.

CRASH

FULLMETAL
ALCHEMIST

Capítulo 14:
LOS SENTIMIENTOS
DE UN HIJO ÚNICO

FSSSH

AAAAAY...

CÓMO ME
DUELE EL
TRASERO.

Y ELLOS QUE SE
PASAN LA VIDA
ARRIBA Y ABAJO
EN ESTOS
TRENES...

QUÉ CANTIDAD DE GENTE HAY EN CENTRAL...

EL MAMO-TRETO...

YA...

ESE DICHOSO ED ME HA DICHO QUE BUSCARA AL MAMOTRETO DE LA ENTRADA OESTE. ¿A QUÉ SE REFERIRÁ CON MAMOTRETO?

¡HOLA, SRTA. WINRY!

¡COMAN-DANTE ARM-STRONG!

NO HAY DE QUÉ. GRACIAS POR CUIDAR A LOS ATONTADOS DE LOS HERMANOS ELRIC.

LE ESTOY MUY AGRA-DECIDO POR SUS ATEN-CIONES EN RIESENBURG.

EN ESTOS MOMENTOS NO SE PUEDE MOVER.

NO LE CULPE.

¡QUÉ MORRO TIENE ED! ME LLAMA Y NI SIQUIERA VIENE A BUSCARME.

¡¿INGRESADO?!

SE ENCUENTRA INGRESADO.

A VER... CÓMO SE LO EXPLICO...

NO ME LO HA DICHO POR TELÉFONO.

¿A QUÉ SE REFIERE CON QUE "NO SE PUEDE MOVER"?

NO SE TRATA DE ESO...

SE VEÍA VENIR...

CLARO... SEGURO QUE ESTÁ EN ALGÚN CENTRO DE MENORES POR TODOS SUS DELITOS.

¿ESTÁ EN EL HOSPITAL?

ENTONCES...

53

QUE SÍ, QUE SÍ

PUES SI LO SABE, NO LLAME EN HORAS DE OFICINA PARA HABLARME DE SU HIJA, Y MENOS DESDE UN TELÉFONO DEL TRABAJO.

ES QUE CADA DÍA QUE PASA ESTÁ MÁS GUAPA...

ME PREGUNTO SI HAY ALGUNA MANERA DE FREÍR A ALGUIEN A TRAVÉS DEL TELÉFONO MEDIANTE LA ALQUIMIA, HUGHES...

EJEM

¡Y NO SÓLO DE MI HIJA! ¡TAMBIÉN ESTOY ORGULLOSO DE MI MUJER!

ESTÁ HECHO MIGAS, NI IDEA.

NO HAY RASTRO DE ÉL DESPUÉS DE LA EXPLOSIÓN, Y TENEMOS MUCHOS CADÁVERES SIN IDENTIFICAR.

PODRÍA SER ALGUNO DE ELLOS.

¿ES ÉSTE?

HABLANDO DE ALQUIMISTAS, ¿QUÉ SE SABE DE SCAR?

¡QUÉ MIEDO, EL ALQUIMISTA DE FUEGO!

SÍ, MIENTRAS ESTÉN EN CENTRAL ME ENCARGARÉ DE QUE LOS VIGILEN AGENTES DE LA CIUDAD.

EN ESE CASO, ¿PODEMOS REDUCIR LA ESCOLTA DE LOS HERMANOS ELRIC?

NO HAY TESTIGOS PRESENCIALES EN EL DISTRITO ESTE, Y LA OPINIÓN MAYORITARIA ES QUE ESTÁ MUERTO.

CIER- TO...

LA CÚPULA MILITAR ANDA UN TANTO ESCASA EN ALQUI- MISTAS NACIONALES DESPUÉS DE QUE SCAR SE HAYA VENTILADO A ALGUNOS.

¿DE LA CIU- DAD?

CORREN RUMORES DE QUE CIERTO CORONEL MUS- TANG ACABARÁ PRONTO EN CENTRAL.

SUBIR DE- MASIADO EN EL ESCALAFÓN SIGNIFICA QUE TE BUSCARÁS MÁS ENEMI- GOS.

TEN CUIDADO.

¿CEN- TRAL?

ESTOY PREPA- RADO PARA ELLO.

NO ESTARÍA MAL.

ASEGÚRATE DE TENER A ALGUIEN A TU LADO QUE TE COMPRENDA Y TE APOYE.

CORONEL, NO LEVANTE TANTO LA VOZ AL HABLAR POR TELÉFONO.

CLANK

¡¡O SEA, QUE YA TE ESTÁS CASANDO!!

¡VETE A LA PORRA!!

TENIENTE CORONEL HUGHES... ¿OTRA VEZ CHARLANDO DE SU FAMILIA POR TELÉFONO?

¿QUÉ, TAMBIÉN ME TIENES ENVIDIA?

EN EL SÉPTIMO CIELO. ♥

RESULTA MUY EMBARAZOSO ESCUCHAR LA CONVERSACIÓN.

TENGA LA AMABILIDAD DE NO USAR UN TELÉFONO MILITAR PARA USO PRIVADO.

TENIENTE CORONEL HUGHES, UNO, TRES, DOS, CERO...

¡NO, NO QUIERO!

¿QUIERE VER UNA FOTO?

MI HIJA VA A CUMPLIR TRES AÑOS...

¡UNA BAJADA DEL SUELDO NO PODRÁ CONTENER MI AMOR!

¡CÓMO SE ENTEREN MIS SUPERIORES LE VAN A BAJAR EL SUELDO!

DA IGUAL...

SE ME HA OLVIDADO DECIRLE A ROY QUE ED ESTÁ EN EL HOSPITAL.

AHÍ VA...

¡¡NO PUEDE SER!!

¡¡ED!!

NO, SI AL PRINCIPIO LO QUE TENÍA NO ERA NI LA MITAD...

BLAM

¡¡NADIE ME HABÍA DICHO QUE ESTABAS TAN GRAVE EN EL HOSPITAL!!

¡¡UAGH!!

¡UGGHH!

¡SUELTA, QUE ME DESMONTAS!

¡¡QUÉ PREOCUPADO ME TENÍAS, EDWARD ELRIC!!

TAP TAP TAP
TROMP

¿QUÉ? ¿QUE ENTRÓ A ESCONDIDAS AL CENTRO DE INVESTIGACIONES V Y POR ESO ESTÁ COMO ESTÁ?

¡Y ESO ES LO QUE HA PASADO!

ST.

ME PRE-GUNTABA SI HA OCURRIDO PORQUE SE TE HAYA ESTRO-PEADO EL IMPLANTE.

PORQUE NO LO HUBIERA INSTALADO DEBIDA-MENTE...

¿EH?

¿QUÉ SUCE-DE?

SHHHHH HHHHHHH

¿EH?

¿ES POR MÍ?

N-NO HA SIDO CUL-PA TUYA, WINRY.

ESTÁ MÁS CARIÑOSA DE LO QUE ME PENSABA...

NO ME ESPERABA QUE ESTU-VIERA TAN PREOCU-PADA...

DISCULPAS A LAS EMPRESAS DE LECHE DE TODO JAPÓN.

ÚLTIMA-
MENTE
ESTÁ UN
POCO
RARO...

¿RARO?

SÍ.

NO HABLA
MUCHO, Y
PARECE QUE
LE VA DANDO
VUELTAS A LA
CABEZA.

HMM.

¿QUÉ SERÁ
LO QUE LE
PREOCUPA
TANTO?

QUÉ VA, DUDO
QUE SEA TAN
ENDEBLE COMO
PARA QUE
LE AFECTE
ALGO ASÍ.

¡IGUAL
ESTÁ
TRAUMA-
TIZADO
PORQUE
LE PE-
GARA!

¡CLA-
RO!

TACHÁN

¿TE LO ESTÁS MONTANDO CON UNA TÍA BUENA EN EL HOSPITAL?

¡EY, ED!

PFF

BLOB

ASÍ SE TE VAN A ABRIR LAS HERIDAS.

...QUE ENTIENDE LO QUE QUIERE!

IDA IGUAL LO QUE DIGA.

!!

¿ASÍ QUE TE HAS LIGADO A LA MECÁNICO?

BIEN HECHO, CANIJO.

¡QUE ES MI MECÁNICO DE IMPLANTES!

MAES HUGHES, A SUS PIES.

ME LLAMO WINRY ROCK-BELL.

ESTE PLASTA ES EL TENIENTE CORONEL HUGHES.

WIN-RY.

AAAH

¡¡TÚ NO TE PREOCUPES!!

¿PERO NO DECÍAS QUE ESTABAIS TAN LIADOS EN EL TRIBUNAL MILITAR?

¿EH?

JE, JE... ¡ME HE TOMADO LA TARDE LIBRE!

¿TE PARECE BONITO ESCAQUE-ARTE DEL TRABAJO?

COMO TENÍA LA TARDE LIBRE, HE VENIDO A VER QUÉ TAL ESTABAS Y TAMBIÉN POR OTRO ASUNTO.

TENGO NOVE-DADES ACERCA DE SCAR.

SHESKA HA VENIDO A HACER HORAS EXTRA.

QUÉ CARA MÁS DURA.

¿EH?

¿QUÉ CREE QUE HABRÍA SIDO DE USTED SIN NOSOTROS?

¡TAMPOCO SE PASE!

¡POR FIN VOY A LIBRARME DE ESTA PESADEZ DE ESCOLTAS!

PARECE QUE PRONTO SE TE LEVANTARÁ LA VIGILANCIA.

TSK

¡NO HE HECHO NADA, NO TE APURES!

¿"ESCOLTAS"? ¿PERO EN QUÉ TE HAS METIDO QUE ES TAN PELIGROSO?

¡¿EN SERIO?!

ES UNA DE ESAS COSAS QUE NO ME EXPLICÁIS POR MUCHO QUE OS LO PREGUNTE.

VALE.

...

ES UNA COSITA DE NADA.

VOY A BUSCAR UN HOSTAL PARA PASAR LA NOCHE.

BUENO, NOS VEMOS MAÑANA.

¡OYE! ¿POR QUÉ NO TE QUEDAS ESTA NOCHE EN MI CASA?

¿EL QUÉ MILITAR? UY, QUÉ SERIO QUE PARECE...

PUEDES QUEDARTE EN LA RESIDENCIA MILITAR POR POCO DINERO SI DICES QUE VAS DE MI PARTE.

¡JA, JA, JA!

¡UN MOMENTO...!

RUSH

RUSH

RUSH

RUSH

OTRA QUE SE LLEVAN POR LA CARA.

¡NO TE PREOCUPES, CRÉEME! ¡MI FAMILIA ESTARÁ ENCANTADA!

NO QUERRÍA SER UNA MOLESTIA PARA ALGUIEN A QUIEN ACABO DE CONOCER...

¿EH? PERO...

VENGA, VÁMONOS DE UNA VEZ.

¡ME ALE-GRA QUE ME LO PREGUN-TES!

¿Y ESTO PARA QUÉ ES?

MEC

MEC

SR. HUGHES...

DIME.

¡MI HIJA CUMPLE HOY TRES AÑOS!

¡QUÉ GANAS TENÍA DE VERTE, ELICIA!

¡ME RAZPA TU BARBA, PAPI!

FRUS FRUS FRUS

PERO QUÉ MUCHACHA TAN GUAPA.

¡YA HAS VUELTO, PAPI!

NECESITABA UN LUGAR DONDE PASAR LA NOCHE, Y LA HE INVITADO.

PUES ES SU AMIGA DE LA INFANCIA, WINRY.

SÍ.

TE HABÍA HABLADO DE LOS HERMANOS ELRIC...

DO...

¿CUÁNTOS AÑOS TIENES, ELICIA?

MUCHAS GRACIAS POR TO-DO.

TE PRE-SENTO A MI ESPOSA, GRECIA, Y A MI HIJA, ELICIA.

SIÉNTETE COMO EN TU PROPIA CASA.

¿DE VERDAD QUE NO LES IMPORTA? SIENDO HOY EL CUMPLE-AÑOS DE SU HIJA...

ÑIGI ÑIGI

¡PERO QUÉ COSA MÁS RICA!

¡TREZ!

SE LE CAE LA BABA...

LAS FIESTAS, MEJOR CELE-BRARLAS EN COMPAÑÍA, ¿NO CREES?

BIENVE-NIDA AL HOGAR DE LOS HUGHES.

¡QUÉ CHUPI!

¡UNA MÉDICA DE JUGUETES!

¡JA, JA! ALGO ASÍ.

VAYA, QUÉ MAÑOSA.

¡QUÉ CHULI!

SÍ, LOS DOS SOMOS DE RIESENBURG, Y VIVÍAMOS CERCA EL UNO DEL OTRO.

¿Y DICES QUE ERES SU MECÁNICO?

SEGURO QUE TE DARÍAN MUCHO TRABAJO.

¡JA, JA!

CUANDO ÉRAMOS PEQUEÑOS ESTÁBAMOS SIEMPRE JUNTOS, COMO SI FUÉRAMOS HERMANOS.

SIEMPRE QUE VUELVE, ES PORQUE SE HA HECHO TRIZAS EL BRAZO.

UN POCO SÍ, PERO ERA PORQUE ME PREOCUPABA POR ELLOS.

Y AL PARECÍA MUY PREOCUPADO POR ALGO.

ED ESTABA INGRESADO POR ESTAR GRAVEMENTE HERIDO.

¿QUÉ DIABLOS LES HA PASADO?

Y TIENE MUCHAS HERIDAS POR EL RESTO DEL CUERPO.

LE COLOQUÉ UN NUEVO IMPLANTE AUTÓNOMO, PERO HOY ME HE FIJADO QUE ESTABA DESTROZADO.

HARÁ UN PAR DE SEMANAS...

CUANDO SE FUERON PARA INTENTAR RECUPERAR SUS CUERPOS, SE MARCHARON SIN DEJARSE ACONSEJAR NI NADA.

PERO ES QUE, PASE LO QUE PASE, NUNCA ME CUENTAN NADA.

QUIZÁS ME HABRÍAN EXPLICADO ALGO ACERCA DE ESTE VIAJE Y DE LO QUE LES HA PASADO.

SI YO FUERA SU HERMANA DE VERDAD...

NO ES QUE NO SE DEJEN ACONSEJAR, ES QUE NO LES HACE FALTA.

Y LOS HOMBRES SUELEN ACTUAR MÁS QUE HABLAR.

ASÍ ES LA VIDA.

PENSARÍAN QUE YA LO SUPONDRÍAS SIN NECESIDAD DE QUE TE LO DIJERAN.

HAY COSAS QUE NO HACE FALTA DECIRLAS PARA COMPRENDERLAS.

POR ESO NO TE HAN DICHO NADA.

NI TAMPOCO QUE LOS DEMÁS SE PREOCUPEN.

SI EL SUFRIMIENTO ES INEVITABLE, NO QUIEREN QUE LE AFECTE A NADIE MÁS...

...YA TE ENCARGA-RÁS TÚ DE EVITARLO.

¿NO CREES?

CUANDO ELLOS DECIDAN TIRAR LA TOALLA...

JE, JE... SE LOS LLEVA A TODOS DE CALLE.

¡QUÉ VA! ¡FELICIA VA A JU-GAR CON-MIGO!

¡NO, CON-MIGO!

NA-MOS A JU-GAR!

¡FELI-CIA!

¡SR. HUGHES, CREO QUE SE PASA "AC-TUANDO"!

¡EY, CHAVA-LINES!

¡NO LE TOQUÉIS NI UN PELO A MI NIÑA!

81

¿EH?

CREO QUE YA SÉ DÓN-DE TE QUE-DAS ESTA NOCHE.

HERMA-NITA, TIENES QUE IRTE.

VUELVE PRONTO, ¿VALE?

¡QUÉ BIEN QUE AHO-RA TENGA UNA HER-MANITA!

JE, JE, JE...

¡LO QUE NO ME GUSTA, NO ME GUSTA!

¡TAMPOCO VOY A MORIRME SI NO ME LA BEBO!

¡¡POR MUCHO QUE DIGÁIS QUE SOY BAJITO!!

BUENOS DÍAS.

Y ESTOY CRECIENDO AUNQUE NO LO PAREZCA.

AL, NO SABES LA SUERTE QUE TIENES...

...CON ESE PEDAZO DE CUERPO.

ÑMMMMM

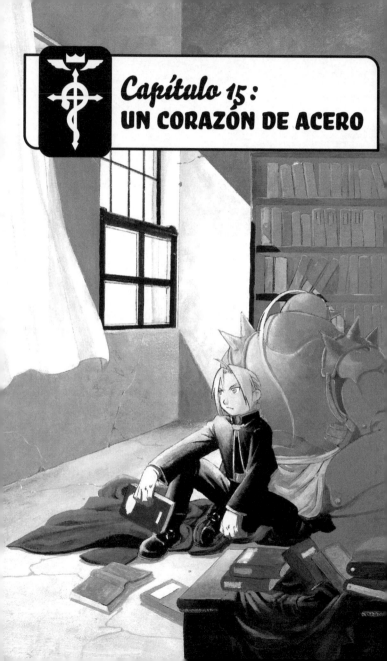

Capítulo 15 : UN CORAZÓN DE ACERO

FULLMETAL
ALCHEMIST

OS-
TRAS...

PER-
DONA...

NO
QUERÍA
ACA-
BAR...

...CON UN
CUERPO
ASÍ...

POR ESO QUIERO QUE RECUPERES TU CUERPO LO ANTES POSIBLE.

SÍ, LA CULPA DE TODO LO QUE HA PASADO ES MÍA...

¿Y EN QUÉ TE BASAS PARA ESTAR TAN SEGURO DE QUE LO RECUPERARÉ?

¡¡CÓMO ESPERAS QUE CONFÍE EN TI CON ESTE CUERPO VACÍO?!

¡¡QUE CONFÍE EN TI, DICES?!

¡CLARO QUE VOLVERÁS A SER COMO ANTES! ¡CONFÍA EN MÍ!

¿PERO HAY ALGUIEN QUE LO HAYA DEMOSTRADO A CIENCIA CIERTA?

SEGÚN LA ALQUIMIA, LAS PERSONAS SE COMPONEN DE TRES ELEMENTOS FUNDAMENTALES: CUERPO, ESPÍRITU Y ALMA.

¿A QUÉ VIENE ESTO?

POR LO QUE TAMBIÉN PUEDEN GENERARSE ARTIFICIALMENTE.

SI LO PIENSAS DETENIDAMENTE, LOS "RECUERDOS" NO SON MÁS QUE "INFORMACIÓN".

NO SERÁ QUE MI ALMA Y TODOS MIS RECUERDOS SON FALSOS, ¿VERDAD?

ME HABÍAS DICHO QUE TE ASUSTABA DECIRME ALGO, ¿VERDAD?

¡¿ES ESO CIERTO, HERMANO?!

CLARO... ¡¿Y NO SERÁ QUE WINRY, LA ABUELA Y TODOS LOS DEMÁS TE HAN ESTADO SIGUIENDO EL JUEGO?!

¡¿CÓMO PUEDES DEMOSTRAR QUE EXISTIÓ ALGUIEN LLAMADO ALPHONSE ELRIC?!

¿ERA ESO...

...A LO QUE LE IBAS DANDO TANTAS VUELTAS?

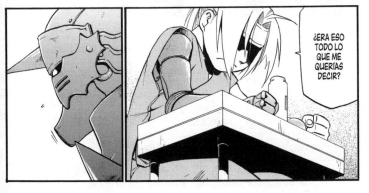

¿ERA ESO TODO LO QUE ME QUERÍAS DECIR?

PUES
VAYA...

SE-
RÁS...

¡¡ED!!

¡¿A QUÉ HA VENIDO ESO?!

CHANG CHANG

CLANG

¡¡IM-BÉ-CIL!!

¡HUM!

SNIF

GRRRRR

¡EN PENSAR QUE HAY ALGUIEN TAN IMBÉCIL COMO PARA TIRAR SU VIDA POR LA BORDA SÓLO PARA CREAR UN HERMANO DE MENTIRA!

Y A PESAR DE ESO... TÚ TE EMPEÑAS...

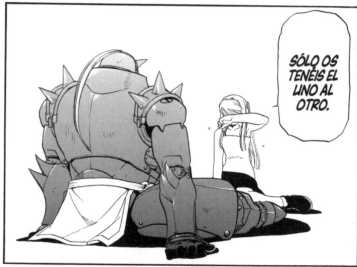

SÓLO OS TENÉIS EL UNO AL OTRO.

?!

SHAAAA

A,

VE A BUS-CAR-LO.

VALE.

FIUUUUUUU

¡¡SÍ!!

¡¡MÁS MAR-CHA A ESAS PIER-NAS!!

AHORA QUE LO DICES...

HERMA...

...

¿DE QUÉ ESTÁS HABLANDO? TODAVÍA NO SE TE HAN CURADO LAS HERIDAS...

¿EH?

HACE MUCHO QUE NO ENTRENO, Y EMPIEZO A TENER EL CUERPO AGARROTADO.

99

¡¡TE LAS VAS A VOL- VER A ABRIR!!

FWASH

¿EH?

CATACLONG

TU

MP

"QUIERO RECUPERARME COMO SEA"?

¿NO FUISTE TÚ EL QUE DIJO EN EAST CITY...

LO SIENTO...

Y DECÍAS QUE TODOS TUS RECUERDOS ERAN DE MENTIRA...

NO, NO LO ES...

¿TAMBIÉN CREES QUE ESE SENTIMIENTO ES FALSO?

NO SE NOS PUEDE ENCOGER EL CORAZÓN NI PODEMOS TEMBLAR POR ALGO ASÍ.

TENEMOS MUY CLARO QUE QUEREMOS RECUPERAR NUESTROS CUERPOS.

¡Y A NO DEJAR NI UNA GOTA DE LECHE!

...FORTALECERME FÍSICA Y EMOCIONALMENTE!

¡VOY A...

SR. HUGHES...

SUPONGO QUE HAY VECES EN LAS QUE SÍ TIENES QUE DECIR LO QUE NO PUEDES EXPRESAR DE OTRA MANERA.

¡Sí!

CLA NG

¡VAMOS A SER MÁS FUERTES!

TE HAS PAGA-DO.

ESO PARECE.

¡NO QUIERO VOLVER A METERME EN ASUNTOS TAN PELIGROSOS, ASÍ QUE NO VOY A ESCUCHAR!

NO SÉ DE QUÉ ESTARÁN HABLANDO, PERO DIRÍA QUE ES ALGO COMPLICADO.

HMMMMMM...

SÍ, ES ÉSTA...

TAP
TAP

DISCULPAD, ¿ES ÉSTA LA HABITACIÓN DEL ALQUIMISTA DE ACERO?

TOC
TOC

YO ME ENCARGARÉ DE INVESTIGAR A LOS CIENTÍFICOS QUE TRABAJABAN PARA EL DR. MARCOH.

PUEDE QUE SAQUE ALGO EN CLARO BUSCANDO EN LOS ARCHIVOS DEL TRIBUNAL MILITAR.

DIS-
CUL-
PEN.

¿A QUÉ SE DEBE SU VISITA A UN LUGAR COMO ÉSTE, GENE-RALÍSIMO?

A LA OR-DEN...

CALMA, CALMA.

ASÍ MEJOR.

¡¡GENE-RALÍ-SIMO KING BRAD-LEY!!

¡¡QUÉ PASA AQUÍ?!

GRA-CIAS.

SÍ.

ESPERO QUE TE GUSTE EL MELÓN.

¿A QUÉ? A VISITAR AL EN-FERMO...

¿QUÉ? NO, VERÁ...

AL PARECER HA ESTADO INVESTIGANDO A LA CÚPULA MILITAR, COMANDANTE ARMSTRONG.

¿QUÉ SABES DE ELLA?

Y, EDWARD ELRIC...

NO SUBESTI-ME A MIS SERVICIOS DE INTELI-GENCIA.

¿CÓMO SE HA ENTE-RADO?

DEPEN-DIENDO DE ESO...

ERA POR LA PIEDRA FILO-SOFAL, ¿VER-DAD?

¡JA, JA!

JE, JE...

¿E, N?

¡NO HACE FALTA QUE OS PON- GÁIS A LA DEFEN- SIVA!

¡ERA BRO- MA!

¡JA, JA, JA, JA, JA, JA, JA!

Y QUIERO TOMAR CARTAS EN EL ASUNTO.

SOY CONSCIEN- TE DE QUE LAS AGUAS ANDAN REVUELTAS DENTRO DEL EJÉRCITO.

BUENO... UNA LISTA EN LA QUE LLEVO TIEMPO TRABAJANDO, SOBRE TODAS LAS PERSONAS QUE SE HAN DEDICADO A INVESTIGAR LA PIEDRA FILOSOFAL.

¿Q-QUÉ ES ESO?

AUN-QUE...

TODOS ELLOS SE ENCUENTRAN EN PARADERO DESCONO-CIDO.

EL ENEMIGO VA SIEMPRE UN PASO POR DE-LANTE.

Y NI SIQUIERA MIS SERVICIOS DE INTELIGENCIA HAN LOGRADO DETERMINAR EL PROGRESO Y LOS OBJETIVOS QUE HAN ALCANZADO NUESTROS ENEMIGOS HASTA LA FECHA.

¡AH!

HACE UNOS DÍAS SE DERRUMBÓ EL CENTRO DE INVES-TIGACIO-NES V.

COMAN-
DANTE
ARM-
STRONG...

TENIENTE
CORONEL
HUGHES...

HER-
MANOS
ELRIC...

EXACTO.

ES DECIR, QUE CUALQUIER INVESTIGA-CIÓN ES DE POR SÍ PELI-GROSA...

Y LES VOY A DAR UNA ORDEN POR SU PROPIA SEGURIDAD.

CREO FIRMEMENTE QUE SON PERSONAS DE CONFIANZA.

¡NO PODEMOS CONFIAR EN NADIE, PUESTO QUE NO SABE-MOS QUIÉNES SON NUESTROS ENEMIGOS NI NUESTROS ALIADOS!

¡NO QUIERO QUE NADIE MÁS META LA NARIZ EN ESTE ASUNTO, NI QUE SE VAYAN DE LA LEN-GUA!

¡DEBEN PARTIR DE QUE TODOS LOS MIEMBROS DEL EJÉRCITO SON SUS ENEMIGOS!

¡A LA ORDEN!

¡¡A LA ORDEN!!

JE...

ZASH

ESTÉN PREPARADOS, PORQUE A SU DEBIDO TIEMPO LES REQUERIRÉ QUE TRABAJEN PARA MÍ.

¡¡Y LES ADVIERTO!!

¡VOLVERÉ!

CHACK

¡ESO ME PASA POR DEJAR MI TRABAJO DESATENDIDO!

¡DIABLOS! MIS SUBALTERNOS NO ME DEJAN NI A SOL NI A SOMBRA.

¡¿DÓNDE ESTÁ, GENERALÍSIMO?!

¡¡GENERALÍSIMO!!

HASTA LA PRÓXIMA.

¿VOLVE-REMOS A VERNOS?

TIP TIP TIP TIP

¿EH?

¡JA, JA, JA!

UAAAAAH...

¡AH, GRACIAS!

TE HE COMPRADO LOS BILLETES DE TREN QUE ME HAS PEDIDO.

¿A QUÉ TE REFIERES?

LO QUE TE HAS PERDIDO.

LOS DOS DE FUERA ESTÁN PETRIFI-CADOS.

¿QUÉ OS PASA A TODOS?

MENUDO TORMEN-TÓN...

¡VETE TÚ SOLA!

PFF...

¿ME LLEVAS? ¿ME LLEVAS? ¿ME LLEVAS? ¿ME LLEVAS?

¡¡V...VAA!!

SI NO HAY MÁS REMEDIO...

¿QUÉ PROBLEMA HAY? NOS PILLA DE CAMINO.

¿ME ESTÁS CHANTA-JEANDO?

¿QUIÉN ME PAGA EL DESPLAZA-MIENTO?

¡YUPIII! ¡BIEEEN!

AUNQUE NO TANTO COMO MI SEÑORA.

SÍ, SE-RÁ UNA BUENA ESPOSA.

QUÉ CONTENTA ESTÁ.

¡¿Y A MÍ QUÉ ME CUENTAS?!

¡Y NO LÍES AÚN MÁS LAS COSAS!

¡VOY A LLAMAR A LA ABUELA!

¡IBA A VOLVER A RIESENBURG, PERO HE CAMBIADO DE IDEA!

PUES...

SE NOS HABÍAN OCURRIDO VARIAS COSAS, PERO AL FINAL HEMOS DECIDIDO QUE IREMOS A VER A NUESTRO MAESTRO.

¿QUÉ VAIS A HACER EN DUBLITH?

203

¡¡¡BUA AAAAH!!!

ÉSTA VEZ SÍ QUE NOS MATA...

¿OS MATA?

¿Y POR QUÉ IBA A HACER ALGO ASÍ VUESTRO MAESTRO?

¡SÉ FUERTE, HERMANITO!

...

¡TE LO DIGO EN SERIO, EDWARD!

PARECE QUE POR FIN SE HAN CALMADO LOS ÁNIMOS.

SÍ, ORIGINADA AL PARECER POR UNA NUEVA RELIGIÓN LLAMADA LETOÍSMO.

¿UNA REVUELTA EN REOLE?

TAMBIÉN HAY PROBLEMAS EN LAS TIERRAS DEL NORTE Y DEL OESTE, Y EN LAS FRONTERAS.

ESPEREMOS QUE NO SE EXTIENDAN AL RESTO DEL PAÍS.

EAST AREA NEWS

PRIMERO ISVHAL Y AHORA ESTO... LAS COSAS SE PONEN FEAS EN LAS TIERRAS DEL ESTE.

DESDE LUEGO... DICEN QUE HA HABIDO UN GRAN NÚMERO DE MUERTOS.

PLAM

TAP TAP BLAM
TAP TAP
TAP TAP

?

VOY AL ARCHIVO A REVISAR UNOS INFORMES ANTIGUOS.

¿ADÓNDE VA, TENIENTE CORONEL?

LA REVUELTA DE REOLE...

LA GUERRA CIVIL DE ISHVAL...

TIP

TENGO QUE INFORMAR AL COMANDANTE Y AL GENERALÍSIMO DE INMEDIATO...

QUIÉN PODÍA ESPERARSE ALGO ASÍ...

ADEMÁS...

BLAM

ENCAN-
TADA DE
CONO-
CERLE.

AUNQUE
DEBERÍA
DECIR
"ADIÓS".

SABE DE-
MASIADO,
TENIENTE
CORONEL
HUGHES.

NO ESTÁ
NADA MAL
EL TATUAJE
QUE LLE-
VAS...

...

PARA ALGUIEN QUE TRABAJA EN UNA OFICINA ES MEJOR DE LO QUE PENSABA, TENIENTE CORONEL.

ZAS

ESO DIGO YO, "MALDITA SEA".

TENGO QUE HACER UNA LLAMADA.

NO ES NADA.

¿ESTÁ SANGRANDO, MI TENIENTE CORONEL?

T·O

LE HAN VUELTO A LLAMAR DE SU CASA...

AH, TENIENTE CORONEL HUGHES.

CHANG

AL DESPACHO DEL GENERALÍSIMO...

CHANG

?

PERO... ¡TENIENTE CORONEL!

DISCULPE... LAS MOLESTIAS.

¿LE IM-
PORTARÍA
COLGAR EL
TELÉFONO,
TENIENTE
CORONEL?

AHO-
RA.

CUÉL-
GUELO.

ALFÉ-
REZ
ROSS...

NO, LA
ALFÉREZ
NO...

¿TÚ
QUIÉN
ERES?

¡LA ALFÉREZ ROSS TIENE UN LUNAR DEBAJO DEL OJO IZQUIERDO!

¿"QUIÉN SOY"? LA ALFÉREZ MARÍA ROSS.

NOS HEMOS VISTO ANTES EN EL HOSPITAL.

NO, NO LO ERES.

¿EN SERIO? QUÉ FALLO...

VAYA...

¿QUÉ DIABLOS?

¿MEJOR ASÍ?

BLINK

NO ME HA SALIDO NADA MAL...

¿VERDAD, TENIENTE CORONEL HUGHES?

TSK

¿VA A APUÑALAR A SU MUJER?

128

MAL-
NACI-
DA...

RIIING

...

¡LE ADVIERTO QUE NO HE VENIDO PARA QUE PRESUMA DE HIJA!

SOY YO.

PÓN-GAME CON ÉL.

¿OTRA VEZ HUGHES?

TIENE UNA LLAMADA DEL TENIENTE CORONEL HUGHES DE CENTRAL A TRAVÉS DE UNA LÍNEA EXTERNA.

RIIING

?

...

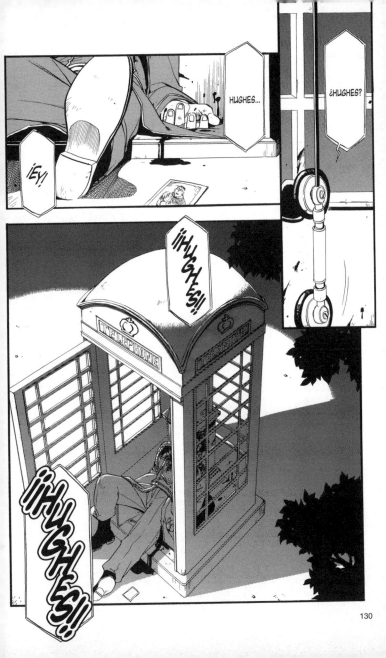

FULLMETAL
ALCHEMIST

 **Capítulo 16 :**
RUMBOS DISTINTOS

TROCO
TROCO
TROCO

TCHUN TCHUN TCHUN TCHUN

¿POR QUÉ OS HA DADO POR IR A VER A VUESTRO MAESTRO ASÍ DE REPENTE?

POR DOS MOTIVOS.

LAS COSAS SE NOS HAN TORCIDO ÚLTIMA- MENTE.

203

Y LO PRINCI- PAL AHORA ES SER MÁS FUERTES.

¡ESO, ESO!

NO SE TRATA DE PELEARSE, SINO DE REFORZAR EL INTERIOR...

¿CÓMO TE LO DIRÍA...?

¡TONTA DEL BOTE! ¡NO ES TAN FÁCIL COMO ESO!

¿NO SABÉIS HACER MÁS QUE PELEAROS?

¿QUÉ? ¿QUE VAIS PARA PELEAROS Y VOLVEROS AÚN MÁS FUERTES?

¡SÍ!

TENEMOS LA CERTEZA DE QUE SI VAMOS A VISITAR AL MAESTRO, LO CONSEGUIREMOS.

¡QUIERO SER AÚN MÁS FUERTE QUE ANTES!

¿Y LA SEGUNDA RAZÓN...?

PARA PREGUNTARLE SOBRE LA TRANSMUTACIÓN HUMANA.

AUNQUE NOS ENTRENAMOS CON NUESTRO MAESTRO, NUNCA NOS EXPLICÓ NADA SOBRE LA PIEDRA FILOSOFAL O LA TRANSMUTACIÓN HUMANA.

CLARO. ES QUE TODO LO QUE SE REFIERE A LA PIEDRA FILOSOFAL ESTÁ RODEADO DE PELIGRO.

HEMOS PENSADO QUE QUIZÁS SEA BUENA IDEA PREGUNTARLE DIRECTAMENTE SI CONOCE LA FORMA DE QUE RECUPEREMOS NUESTROS CUERPOS.

ESTOY PREPARADO PARA QUE ME TRITURE MI MAESTRO, Y ASÍ LE PREGUNTARÉ...

NO PUEDE SER QUE ESTO SE ALARGUE TANTO.

AL MENOS QUERRÍA HABERME ECHADO NOVIA...

FUOOOM

HA SIDO BONITO MIENTRAS HA DURADO...

[HIEEES!]

NO PUEDE SER QUE ESTO SE ALARGUE TANTO.

LE PREGUNTARÉ...

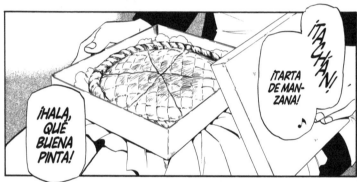

¿ME ESTÁS DEVOLVIENDO LA DEL HOSPITAL, LELO?

¿EH?

CÓMETE MI PARTE, EDWARD.

¡VIVAAA!

ME HA ENSEÑADO A PREPARARLA, Y CUANDO RECUPERES TU CUERPO HARÉ UNA PARA CELEBRARLO.

LA SRA. HUGHES ES UNA GRAN COCINERA.

¡PUES SÍ QUE ESTÁ BUENA!

EL SR. HUGHES, SU MUJER Y ELICIA...

SON MUY BUENAS PERSONAS.

¡ÑAM! ¡ÑAM!

PARECES UN VIEJETE.

DIGAMOS QUE TIENE EL "TOQUE DE MAMÁ".

TE DABA LA LATA A TODAS HORAS CUANDO ESTABAS INGRESADO.

¡JA,JA!

AL TENIENTE CORONEL HUGHES SE LE CAE LA BABA CON SU HIJA, ES UN METOMENTODO Y UN PLASTA.

A PESAR DE DECIR SIEMPRE QUE ESTÁ LIADÍSIMO, HA BUSCADO UN RATO PARA VENIR A VISITARME.

HABLANDO EN SERIO...

TCHUN TCHUN

CUANDO VUELVA A CENTRAL IRÉ A VERLE PARA DARLE LAS GRACIAS...

143

DIJISTE QUE ME IBAS A DAR TODO TU APOYO DESDE ABAJO, ¿PERO QUÉ PASA AHORA QUE ESTÁS POR ENCIMA DE MÍ?

IDIOTA.

UN DOBLE ASCENSO POR MORIR EN ACTO DE SERVICIO...

GENERAL DE BRIGADA MAES HUGHES...

CORONEL...

144

ENSEGUIDA.

¿TODAVÍA NO SE VA A CASA?

EMPIEZA A REFRESCAR.

EN ESTOS MOMENTOS...

...ESTOY INTENTANDO CONCEBIR DE CABEZA Y DESESPERADAMENTE UNA TEORÍA SOBRE LA TRANSMUTACIÓN HUMANA.

LOS ALQUIMISTAS SON SERES REPULSIVOS, TENIENTE...

¿SE ENCUENTRA BIEN?

AHORA ENTIENDO CÓMO SE SINTIERON AQUELLOS NIÑOS CUANDO INTENTARON TRANSMUTAR A SU MADRE.

ÉSA FUE LA ÚLTIMA VEZ QUE VI AL TENIENTE CORONEL.

HAY RESTOS DE SANGRE QUE VAN DEL INTERIOR DE LA HABITA-CIÓN HASTA EL PASILLO.

DESPUÉS SE MAR-CHÓ POR AHÍ...

TUVO UNA PELEA.

PARECE QUE SÍ.

PARECÍA PREOCU-PADO POR ALGO.

...E INTENTÓ HACER UNA LLAMADA A PESAR DE ESTAR MALHERIDO.

AL FINAL NO LLAMÓ A NADIE...

Y SE MARCHÓ.

ÑiiiEG

SE PERCATÓ DE ALGO EN EL TRIBUNAL MILITAR...

SALIÓ PARA INTENTAR PONERSE EN CONTACTO CONMIGO, CUANDO PODRÍA HABERLO HECHO DESDE EL INTERIOR DEL EDIFICIO...

LA TELEFONISTA DEL CUARTEL DE LAS TIERRAS DEL ESTE AFIRMA QUE ESCUCHÓ A HUGHES DECIR QUE "EL EJÉRCITO CORRÍA PELIGRO".

¿QUIZÁS EL EJÉRCITO ESTÉ A PUNTO DE SUFRIR UNA GRAVE CRISIS SI NO SE PONE REMEDIO?

¿QUÉ INTENTABA DECIRME?

¿QUÉ?

HA VENIDO EL COMANDANTE ARMSTRONG.

¡CORONEL!

SE ESTÁN IN-
VESTIGANDO,
PERO NO SE
SABE QUIÉ-
NES SON.

SE ESTÁN
INVESTIGANDO
A LOS PRESUN-
TOS ASESINOS
DEL TENIENTE
CORONEL.

¡¿Y POR
QUÉ NO
SE LES
HA DE-
TENIDO
TODA-
VÍA?!

?

COMO SU
CORONEL,
LE EXIJO
QUE HA-
BLE.

¿VA A
DESOBE-
DECER
A SU SU-
PERIOR,
COMAN-
DANTE?

NO
PUE-
DO.

¿A QUÉ
SE RE-
FIERE?
¡EXPLÍ-
QUESE!

NO PUEDO HABLAR.

QUE HASTA HACE UNOS DÍAS ESTUVIE-RON AQUÍ LOS HERMANOS ELRIC.

ENTEN-DIDO. LAMENTO HABERLE HECHO VENIR.

PUEDE IRSE.

A LA OR-DEN.

POR CIERTO, HABÍA OLVI-DADO COMEN-TARLE UN DETALLE...

¿LOS HER-MANOS ELRIC?

¿Y ENCON-TRARON LO QUE HABÍAN VENIDO A BUSCAR?

SÍ.

LOS HER-MANOS ELRIC.

GRA-CIAS.

BUE-NO...

NO. AL FIN Y AL CABO, LO QUE BUSCA-BAN ERA UN OBJETO DE LEYENDA.

NO, EL COMANDANTE ES DEMASIADO FIEL.

?

NO NOS HA APORTADO NINGÚN DATO.

Y QUE TAMBIÉN PUEDEN SER MIEMBROS DE ALGUNA ORGANIZACIÓN...

"LOS PRESUNTOS ASESINOS DEL TENIENTE CORONEL" SIGNIFICA QUE ES MÁS DE UNA PERSONA.

POR OTRO LADO, ESTÁ LO QUE BUSCAN LOS HERMANOS ELRIC.

SI DESOBEDECE A UN CORONEL, ES PORQUE ALGUIEN POR ENCIMA DE MÍ LE HA DADO ÓRDENES DE GUARDAR SILENCIO.

PARECE LÓGICO PENSAR QUE LA CÚPULA MILITAR TIENE ALGO QUE VER.

QUE NO ES OTRA COSA QUE LA PIEDRA FILOSOFAL.

CLA-RO...

PERO ESTO NO QUEDARÁ ASÍ.

NO TENGO LA MENOR IDEA.

¿CUÁL SERÁ EL VÍNCULO QUE LOS UNA?

ÑIG ÑIG.

UNA ORGANIZACIÓN QUE ESTÁ RELACIONADA CON LAS ALTAS ESFERAS, LA PIEDRA FILOSOFAL Y EL TENIENTE CORONEL HUGHES...

REBUSCARÉ ENTRE LOS GERIFALTES HASTA DAR CON LOS ASESINOS DE HUGHES.

ES LA OPORTUNIDAD PERFECTA.

¿SÍ? EN-HORA-BUENA.

PRONTO ME TRASLADARÁN A CENTRAL.

155

LLEGA UN PUNTO EN QUE LO "PROFESIONAL" Y LO "PERSONAL" SON LO MISMO.

¿NO ESTARÁ MEZCLANDO LA VIDA PROFESIONAL CON LA PERSONAL?

MI AMBICIÓN PERSONAL ES ASCENDER A GENERALÍSIMO Y VENGAR LA MUERTE DE HUGHES.

¿ACASO LO DUDA?

HABRÁ QUE ADENTRARSE EN LAS ALTAS ESFERAS.

¿ESTARÁS CONMIGO?

¿DÓNDE ESTOY?

HUELE...

¿A ISHVAL?

HER-MANO...

NADIE.

¿DÓNDE ESTÁ TODO EL MUNDO?

MAESTRO...

TÚ NO ERES ISHVALÍ.

¿QUIÉN ERES?

QUÉ MALEDUCA- DO...

PERDONA QUE NO ME HAYA PRESEN- TADO.

SOY EL ALQUI- MISTA NACIO- NAL...

...ENCAR- GADO DE ARRASAR ESTE LUGAR.

WAAAAAN

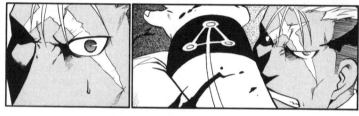

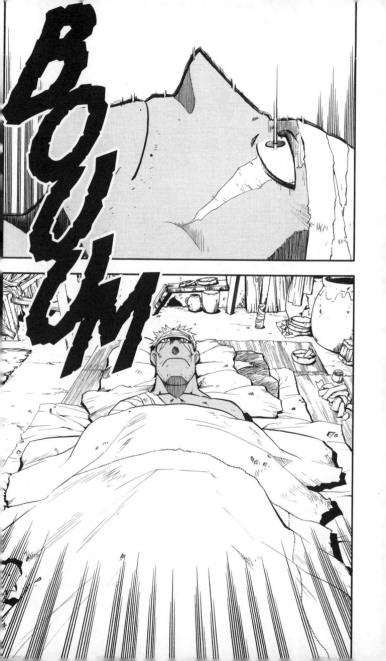

...

SI FUERAS UN TIPO NORMAL TE HABRÍAMOS DESVALIJADO Y ABANDONADO EN LA CLOACA.

...

SEGURO QUE TE ESTÁS PREGUNTANDO CÓMO ES QUE ALGUIEN TAN POBRE COMO NOSOTROS TE HA SALVADO.

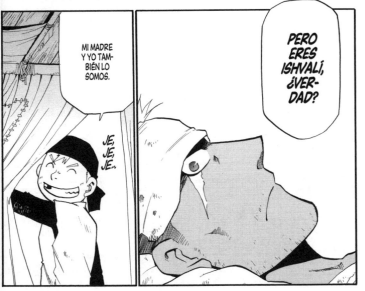

MI MADRE Y YO TAMBIÉN LO SOMOS.

JE, JE, JE...

PERO ERES ISHVALÍ, ¿VERDAD?

¡A-BUE-LOS! ¡SE HA DESPER-TADO!

ÉSE QUE ANDA BUSCAN-DO LA POLICÍA.

ERES TÚ, ¿VERDAD?

AÚN TE QUEDA MUCHA VIDA POR DELANTE.

MENOS MAL.

EN ESTE ARRABAL TODOS SOMOS ISHVALÍES.

NINGÚN ESTÚPIDO ENTREGARÍA A UNO DE LOS SUYOS.

NO TE PRECI-PITES.

¿VAN A DELA-TARME?

¡JO, JO, JO!

¡AUNQUE NO TE ESPERES QUE TENGAMOS GRAN COSA!

¡JA, JA, JA!

HA VUELTO EN SÍ.

MENOS MAL.

¿TE APETECE ALGO?

¡SÍ HA SOBREVIVIDO!

¿ESTÁN AQUÍ TODOS LOS SUPERVIVIENTES DE ISHVAL?

NO SÓLO AQUÍ.

HAY MUCHOS REPARTIDOS POR PEQUEÑAS ALDEAS, QUE VAN REHACIENDO SUS VIDAS POCO A POCO.

ASÍ ES...

"TODO LO QUE EXISTE EN EL MUNDO ES POR OBRA Y GRACIA DE NUESTRO DIOS ISHVALA".

VAMOS TIRANDO EN ESTE SITIO TAN MUGRIENTO...

¡NO TE MUEVAS! TE HA FALTADO MUY POCO PARA IRTE AL OTRO BARRIO.

LAMENTO LAS MO-LESTIAS...

AGH

¿EL DERECHO? SÍ, AUNQUE LO TIENES TAN MAGULLADO COMO EL OTRO Y LAS PIERNAS.

¿TODAVÍA TENGO EL BRAZO DERECHO?

CHICO...

¿ES UN TATUA-JE?

TU BRAZO ES ALUCI-NANTE.

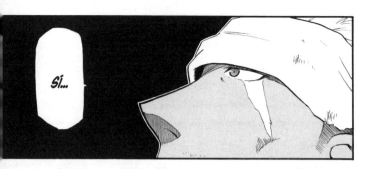

Sí...

UNA HERENCIA MUY IMPORTANTE DE MI FAMILIA...

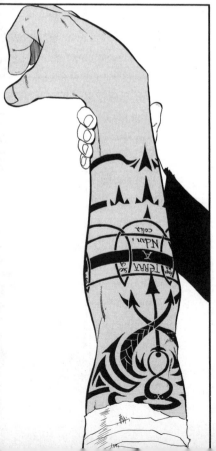

FULLMETAL
ALCHEMIST

Especial
¿UN PERRO DEL EJÉRCITO?

¿QUÉ ES ESO?

AAAAN

NO ME REFERÍA A ESO, BRIGADA FALMAN.

SE TRATA DE UN "PERRO". ORDEN DE LOS CARNÍVOROS; FAMILIA DE LOS CANIDAE; NOMBRE CIENTÍFICO, "CANIS FAMILIARIS"; RAZA ORIGINARIA, "CANIS". SU RAZA DESCIENDE DEL LOBO, Y CAZA EN MANADAS.

NO PUEDO. VIVO EN LA RESIDENCIA MILITAR Y NO PUEDO QUEDÁRMELO.

¿VAS A CUIDARLO TÚ, SARGENTO PRIMERO FURY?

LO HE RECOGIDO DE LA CALLE ESTA MAÑANA.

¡DISCULPE!

YO TAMBIÉN ESTOY EN LA RESIDENCIA, O SEA QUE NADA.

¿Y QUIÉN CREES QUE PODRÍA QUEDÁRSELO?

NO DEBISTE RECOGERLO SI NO IBAS A ENCARGARTE DE ÉL.

ES QUE ME DABA PENA CON LA QUE ESTÁ CAYENDO FUERA.

PUES MEJOR QUE NO...

¡¡LOS ODIO!! ¡¡ODIO A LOS PERROS!!

¿ALFÉREZ BREDA...?

¡BIEN! ¡MUCHÍSIMAS GRACIAS, ALFÉREZ HAVOC!

ME ENCANTAN LOS PERROS.

FIVUU

YA ME LO QUEDO YO.

DICEN QUE ESTÁN RIQUÍSIMOS FRITOS.

¡ERA BROMA!

A VER SI ENCONTRAMOS A OTRO QUE SE QUIERA OCUPAR DE ÉL.

SE DICE QUE LOS SHIBA INU SON LOS MÁS DELICIOSOS...

EN UN PAÍS DE ORIENTE LOS CRÍAN PARA COMÉRSELOS.

SÍ, SÍ...

NI QUERIENDO.

DE NINGUNA MANERA. VAMOS SIEMPRE DE UN SITIO A OTRO, Y NO PODEMOS IR CON UNA MASCOTA A RASTRAS.

¿UN PERRO?

NO DEBERÍA IR RECOGIENDO ANIMALES POR AHÍ SI DESPUÉS NO SE VA A PODER HACER CARGO DE ELLOS.

EL PROBLEMA, SARGENTO PRIMERO, ES QUE ES UN BUENAZO.

MIAUUUU

ÑIG

¡¿QUÉ HA SIDO ESO?!

¡ES QUE SE ESTABA HELANDO CON ESTA LLUVIA! ¿NO ME LO PUEDO QUEDAR?

¿YA ESTÁS CRIANDO OTRO GATO DENTRO DE TI, AL?

¡CLARO QUE NO! ¡DÉJALO DONDE TE LO HAYAS ENCONTRADO!

¡NO CORRAS, QUE ME DA PENA EL GATO!

CHANG

MIAUUUUUUUUUUUUU

CHANG

TAP

¡¡NO TIENES CORAZÓN, INSENSIBLE!!

¡¿DE VERAS?!

¡JA, JA!

ME ENCANTAN LOS PERROS.

¡VAYA, UN PERRO!

¡¡ALGUIEN ASÍ NO SE LO PUEDE QUEDAR!!

SÍ, SEÑOR. ¡¡CÓMO ME GUSTAN LOS PERROS!!

¡¡SÍ, SON LOS ESCLAVOS DE LOS HUMANOS!!

¡¡POR MÁS DURO QUE SEAS CON ELLOS, NI SE QUEJAN NI EXIGEN UN SUELDO!!

¡¡OBEDECEN SIN RECHISTAR A SUS AMOS!!

¡¡LO MEJOR ES LO FIELES QUE SON!!

¡JA,JA! ¡JA,JA!

EL TENIENTE TAMPOCO TIENE CORAZÓN...

MIRA QUE QUERER QUE LO DEJE SOLITO CON EL TIEMPO QUE HACE.

O SEA, QUE TE HAN DICHO QUE O LE ENCUENTRAS DUEÑO O LO DEJAS POR AHÍ...

SÍ...

PUEDE QUE NO LO PAREZCA, PERO LA TENIENTE HAWKEYE ES UN PEDAZO DE PAN.

NO TE PREOCUPES POR NADA.

¿SÍ?

¿NO HA ENCONTRADO A NADIE?

VERÁ, MI TENIENTE...

GLUPS

¿HA ENCONTRADO YA UN DUEÑO, SARGENTO PRIMERO?

ME LO QUEDO YO.

AAAH...

ENTENDIDO, VOY A DEJARLO DONDE LO ENCONTRÉ, COMO HA ORDENADO...

EN VISTA DE QUE NO APARECE UN DUEÑO COMPETENTE, NO HAY MÁS REMEDIO...

QUE SEPA QUE SOY UNA CRIADORA MUY SEVERA.

ES UN PEDAZO DE PAN.

YA TE LO HABÍA DICHO YO.

¡JA, JA, JA!

¡TENIENTE!

AHORA YA ME QUEDO MÁS TRANQUILO.

SI LO VA A CRIAR ELLA, YA VERÁS COMO LO ENDEREZA.

QUÉ BIEN QUE TE HAYAMOS ENCONTRADO DUEÑO.

BUEEENO, SERÁ MEJOR QUE LO LIMPIE PRON...

¿EH?

DESPUÉS DE AQUELLO, TODOS LOS DESTINADOS EN EL CUARTEL DE LAS TIERRAS DEL ESTE JURARON "NO VOLVER A DESOBEDECER A LA TENIENTE JAMÁS".

ASÍ, BUEN CHICO.

¿LO ENTIENDES?

NO, NO. TU LAVABO ES ÉSTE.

TENGO TRABAJO...

CHACK CHACK

FIN DEL TOMO 4

182

SÍ.

SI SE DESTRU-YE LA MARCA...

...QUE TENGO DENTRO DEL CASCO...

¡EN-GEN-DRO!

ZIS ZIS

¡VEN AQUÍ!

MIAUUUU

TAP TAP

ERES UN BUE-NAZO.

ES QUE...

ES-TABA LLO-VIEN-DO, LO VI Y...

UN PELO ENVIDIABLE

PARECE QUE ÚLTIMAMENTE MI HERMANO HA MADURADO DE GOLPE.

¿POR QUÉ SERÁ?

...

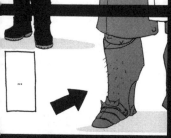

¡¡TE ESTÁS HACIENDO UN HOMBRE!!

¡¡TENGO PELOS EN LAS PIERNAS!!

CLANG

DETENEDLOS

¿ES QUE NO TE DAN PENA?

DEJA DE ACOGER GATOS DENTRO DE TU ARMADURA.

¡¿CÓMO DICES ESO SI SABES QUE LO QUE MÁS ME GUSTA SON LOS GATOS?!

¡LOS GATOS SON EGOÍSTAS Y DESAGRADABLES!

¡YA SABES QUE YO PREFIERO A LOS PERROS! ¡LOS GATOS ME DAN REPELÚS!

¡UN MEMO COMO TÚ JAMÁS COMPRENDERÁ LO CARIÑOSOS QUE SON LOS MININOS!

¡TÚ TE LO HAS BUSCADO, RUIN!

¿DE QUÉ VAS?! ¿Y QUÉ GRACIA TIENE UN BICHO QUE LE MUEVE EL RABO A TODO EL QUE PASA POR DELANTE?

¡ITOMA Y TOMA Y TOMA!

...A UNA SOLA BANDA.

¡YA SABES QUÉ PASA CUANDO ME ENFADO!

UNA LUCHA FRATRICIDA...

TUDS TUDS TUDS TUDS

¿¡P-PARA QUÉ ME ROMPES?!

LA DIGNIDAD DEL HOMBRE

CREO QUE NO ME TOMAN EN SERIO PORQUE NO APARENTO LA EDAD QUE TENGO.

DEBERÍA DESPRENDER UN AUREA DE EDUCACIÓN Y DIGNIDAD. ALGO ASÍ COMO...

FLIP FLIP

¡¡ESO ES!! ¡BIGOTE!

¿¿NO LE DARÍA MÁS CREDIBILIDAD UNA BARBA O UN BIGOTE??

HE AHÍ MI BIGOTE.

SÍ. ES MI BIGOTE.

¿ALGÚN PROBLEMA?

EL ALQUIMISTA DE LA AMBICIÓN (CONTINUACIÓN)

SU SUEÑO ES SER GENERALÍSIMO Y QUE TODAS LAS MUJERES DEL EJÉRCITO LLEVEN MINIFALDA.

CORONEL ROY MUSTANG, 29 AÑOS, SOLTERO.

¿¿DE QUÉ DIABLOS ESTÁIS HABLANDO?!

¡YO ME QUEDO AQUÍ EL RESTO DE MI VIDA!

¡OJALÁ SEA PRONTO EL GENERALÍSIMO!

¡QUÉ GANAS TENGO!

¡DESPEDIRÉ A TODOS LOS HOMBRES Y POR FIN TENDRÉ MI PROPIO HARÉN!

¡NO ME HACE NINGUNA FALTA TENER HOMBRES EN EL EJÉRCITO!

TACHÁN

CORONEL ROY MUSTANG, 29 AÑOS, MUERTO EN ACTO DE SERVICIO ANTES DE VER SU SUEÑO HECHO REALIDAD...

MINIFAL

FULLMETAL ALCHEMIST VOL. 4

Agradecimientos especiales a:

- *Keisui Takaeda*
- *Sankichi Hinodeya*
- *Jun Toko*
- *Masanari Yukuza*
- *Atsushi Baba*

Al editor:
Yuichi Shinomura

¡¡Y A VOSOTROS!!

¿SERÁ BUENA IDEA LO DEL TAPARRABOS?

¿QUÉ PUEDO HACER?

FIUUU

ME HE PUESTO A DIETA, HE CAMBIADO DE CORTE DE PELO, PERO NO VEO YO QUE TENGA MÁS ÉXITO CON LAS CHICAS.

BUENO, NO PARECE COMPLICADO.

¿POR QUÉ NO INTENTAS HABLAR DE UNA MANERA CON LA QUE MUESTRES TU ENCANTO PERSONAL?

YA SABES, CON ALGUNA COLETILLA ENROLLADA.

QUEREMOS VOLVER A SER PERSONAS, TRON.

NO TE PARECES EN NADA A MI, TRON.

MI HERMAN SE HA VUE TO A QUED FRITO CON BARRIGA AIRE, TR

ES LA PRIMERA VEZ QUE ME TRATAN COMO UN TRASTO, TRON.

SI ME VUELV A GRIT TE ARR TRON

CHUN-GO...

¿QU TAL TRON

¡Del autor de Fairy Tail!

FAIRY TAIL

www.NormaEditorial.com
www.normaeditorial.com/blogmanga/

¡Aten

P9-BIB-241

¡Este manga está publicado en el mismo sentido de lectura que la edición japonesa!

Tienes que empezar a leer por la que sería la última página de un libro occidental y seguir las viñetas de derecha a izquierda.

FULLMETAL ALCHEMIST vol.4

Título original: "Fullmetal Alchemist volume 4". Tercera edición.
© 2003 HIROMU ARAKAWA / SQUARE ENIX.
All Rights Reserved.
First published in Japan in 2003 by SQUARE ENIX CO., LTD.
Spanish translation rights arranged with SQUARE ENIX CO., LTD.
and NORMA EDITORIAL, S.A. through Tuttle-Mori Agency, Inc.

2009 NORMA Editorial por la edición en castellano.
Passeig de Sant Joan 7. 08010 Barcelona.
Tel.: 93 303 68 20. - Fax: 93 303 68 31.
norma@normaeditorial.com
Traducción: Ángel-Manuel Ybáñez - TraduccionesImposibles.com
Realización técnica: Acrobat Estudio.
Depósito legal: B-18379-2007.
ISBN: 978-84-9847-180-9.

Printed in the EU.

www.NormaEditorial.com